小兔汤姆
成长的烦恼图画书
心理自助读物

# 汤姆走丢了

[法]玛丽-阿利娜·巴文/图　　[法]克斯多夫·勒·马斯尼/文　　梅　莉/译

海燕出版社

今天，妈妈带我到百货商店买东西。她想给我买一条新裤子，就像我朋友嘎比的裤子，裤子两边都有兜。

大街上有好多人，他们总是一路小跑，来去匆匆。在商店门口，
妈妈告诉我，千万不要乱跑，让我一直跟在她的身边。

走进商店，人真多啊！悠扬的乐曲声不时传来，售货员阿姨正在介绍商品。妈妈对我说，她的钱不多，不能花费太大。

当妈妈给自己挑选衣服的时候，我就看着自己的周围。

哎呀！我看到了我要买的裤子！

"快来，妈妈，我给你看我要的裤子，这正是我想要的。"

我转过身，想问妈妈是不是也觉得我挑的裤子很漂亮。
咦，怎么是位阿姨！我认错人了！她不是我的妈妈。

我的心开始怦怦乱跳起来。我撒开腿拼命地跑，得赶快找到妈妈。

我看到妈妈的红大衣了。嗨，我追上妈妈了！我刚才真害怕！

　　但是，她也不是妈妈！还是一位阿姨，穿着和妈妈一样的红大衣。那妈妈去哪儿了？

我在商店的过道里跑。可是，她们都穿着一样的红大衣！

妈妈！我要妈妈！

　　我哪儿也找不到妈妈！有那么多我不认识的人，还有和爸爸妈妈
在一起的孩子。而我，却是独自一个人。

我害怕再也见不到妈妈了。我会变成什么样？
我走丢了！我找不到家了！

　　一位长着奇怪脑袋的老先生弯下腰，问我为什么哭。我害怕极了，很快地跑开了。

　　我记得，爸爸对我说过："如果你走丢了，千万不要出商店，而要去找收银台的阿姨。"我想和收银台的阿姨说话，可她看不见我。

　　一位阿姨微笑着在我身边蹲下来。她看上去很友善，我就对她说我丢了妈妈，然后，我又哭了起来。

我身边围了一大堆人。他们都看着我，都在为我着急。

　　一位穿制服的叔叔走过来，粗声粗气地问我叫什么名字。接着，他对我说，我们一起找妈妈。

叔叔把我带到他的办公室，对着话筒说我走丢了。整个商店都能听到他的声音。从广播里听到我的名字，我感觉怪怪的。

　　一位阿姨让我一边等妈妈，一边给图画填色。我很害羞，
也很着急……

突然，门开了。是妈妈！我看到她也哭了。她和我一样害怕。

妈妈，亲爱的妈妈，我要永远和你在一起！

我刚才太害怕了！现在，我紧紧地抓住妈妈的手。为了安慰我，妈妈给我买了礼物和两边有兜的裤子。

和妈妈在一起，我太高兴了。我再也不愿意丢了妈妈。